Le catalogue de robots

Une histoire écrite par
Jean-Pierre Guillet
et illustrée par
Jessica Lindsay

À R2-D2 et WALL-E
Jean-Pierre

cheval masqué

Catalogage avant publication de Bibliothèque et Archives nationales du Québec et Bibliothèque et Archives Canada

Guillet, Jean-Pierre

Le catalogue de robots

(Cheval masqué. Au grand galop)
Pour enfants de 8 ans et plus.

ISBN 978-2-89579-539-1

I. Lindsay, Jessica. II. Titre.

PS8563.U546C37 2013 jC843'.54 C2013-940993-9
PS9563.U546C37 2013

Dépôt légal – Bibliothèque et Archives nationales du Québec, 2013
Bibliothèque et Archives Canada, 2013

Direction : Andrée-Anne Gratton
Révision : Sophie Sainte-Marie
Graphisme : Janou-Ève LeGuerrier

Nous reconnaissons l'aide financière du gouvernement du Canada par l'entremise du Fonds du livre du Canada (FLC) pour des activités de développement de notre entreprise.

Conseil des Arts du Canada | Canada Council for the Arts

Bayard Canada Livres inc. remercie le Conseil des Arts du Canada du soutien accordé à son programme d'édition dans le cadre du Programme des subventions globales aux éditeurs.

Cet ouvrage a été publié avec le soutien de la SODEC. Gouvernement du Québec – Programme de crédit d'impôt pour l'édition de livres – Gestion SODEC.

Bayard Canada Livres
4475, rue Frontenac, Montréal (Québec) H2H 2S2
Téléphone : 514 844-2111 ou 1 866 844-2111
edition@bayardcanada.com
bayardlivres.ca

Imprimé au Canada

Chapitre 1

UN ÉCLAIR DANS LA BOÎTE AUX LETTRES

Aubert s’entraîne à lancer le ballon dans le panier devant chez lui. Son équipe de basketball disputera une partie très importante bientôt.

— Zut, ce n’est pas ma journée!

Le ballon roule sur le rebord du panier et il tombe à l'extérieur. Tout va de travers, aujourd'hui ! Aubert a des tonnes de devoirs à faire. Ses parents le harcèlent pour qu'il range sa chambre. Et puis il est bloqué au cinquième niveau de son jeu vidéo *Le Monde des monstres*.

Tout à coup, Aubert perçoit une vive lueur du coin de l'œil. Il tourne aussitôt la tête.

— Eh ! qu'est-ce que c'est ?

Pendant une fraction de seconde, le garçon voit quelque chose briller intensément près de la porte de la maison. C'est... la boîte aux lettres !

Mais le phénomène ne dure qu'un instant. Tout redevient vite normal.

— Ça alors ! Est-ce qu'un éclair a frappé la maison ?

Aubert examine le ciel bleu. Pas un nuage.

Et il n'a pas entendu de tonnerre. Il court vers la porte et il observe la boîte aux lettres. Pas de fumée ni de chaleur, aucune trace de roussi, pas d'odeur de brûlé.

Aubert soulève le couvercle du bout des doigts. Rien de spécial à l'intérieur. Seulement du courrier. Le facteur a dû passer tout à l'heure. Aubert secoue la tête et il s'interroge :

« Voyons, j'ai pas eu la berlue, pourtant ! »

Il retire le courrier. En fait, il n'y a qu'un mince feuillet plié en deux. Des symboles inconnus tiennent lieu d'adresse. Dans le coin droit, à la place du timbre, un motif en spirale luit avec un effet 3D.

Très intrigué, Aubert déplie le feuillet. Le verso est couvert de taches de couleur informes, comme de la peinture abstraite. C'est frais au toucher, et plus lourd que du papier.

« On dirait du plastique ou du métal très mince », constate Aubert.

Quand il frotte la feuille entre ses doigts, ça chatouille un peu. Il examine de nouveau le « timbre ». Aucune indication sur l'origine de l'envoi. Soudain, le motif en spirale se met à tournoyer, et les mystérieux symboles clignotent.

Le garçon entend avec stupéfaction des mots dans sa tête :

// Grand solde de robots !

— Des robots ? s'exclame Aubert. C'est une blague !

La spirale tourne de plus belle. Le garçon se fige, le regard fixe, comme hypnotisé. Toutes ses questions et ses inquiétudes disparaissent peu à peu. Les incroyables messages continuent à résonner dans son crâne :

// Offre exceptionnelle ! Profitez de nos super-rabais ! Faites un essai gratuit.

— C'est de la publicité, murmure Aubert d'une voix rêveuse.

Le garçon regarde l'affichette fixée à côté de la boîte aux lettres :

PAS DE PUBLICITÉ S.V.P.

— Hum… le livreur a dû déposer ça par erreur, marmonne-t-il.

Ses parents, Audrey et Norbert, mettent

les cahiers publicitaires au recyclage. Mais une force irrésistible pousse Aubert à examiner cet étrange prospectus de plus près. Il le dissimule sous son chandail et il rentre dans la maison.

— Allo, mon chou ! Ça va ? demande joyeusement sa mère.

— Salut, mon gars. Le souper sera bientôt prêt, ajoute son père.

Le garçon bafouille :

— Oui... bien, ça va... euh... Je monte faire mes devoirs en attendant.

Aubert s'enferme dans sa chambre. Il se sent le cerveau en compote. Il jette un coup d'œil distrait à son sac d'école, mais son regard est irrésistiblement attiré par le timbre hypnotique.

— Tant pis pour les devoirs ! Plus tard... murmure-t-il.

Le cœur battant, Aubert scrute l'étrange document. Des phrases s'entrechoquent dans sa tête. Une voix grave au débit un peu mécanique, comme celle d'un message enregistré, récite:

// Le meilleur choix de robots. Nombreux accessoires disponibles. Veuillez patienter un instant, nous sondons votre esprit pour vous offrir les modèles les mieux adaptés à vos goûts.

La spirale du timbre s'accélère. Aubert a l'impression que ses yeux tournent au même rythme.

// Bcht ! Analyse du client Ob-R terminée. Mise à jour des promotions en cours. Bcht !

Aubert sent le document frémir sous ses doigts. Les taches de couleur informes se regroupent. Des images apparaissent. Des images de robots! Quand il touche la feuille métallisée, les illustrations défilent, elles grossissent et elles s'animent. C'est un catalogue électronique ! Les symboles inconnus ont fait place à l'alphabet usuel. Des slogans publicitaires en français accompagnent les images. Le catalogue s'est adapté au garçon.

Aubert est éberlué. Il n'a jamais rien vu de pareil.

— Génial ! s'écrie-t-il. Ça doit venir du futur ou d'une autre dimension !

Comment expliquer cela ? Une erreur de livraison ? Une sorte de court-circuit spatiotemporel ? Aubert est trop excité pour s'attarder à ces questions. Il examine les images avec fascination.

Certains robots sont très rudimentaires. Ils se limitent à quelques assemblages de fils, presque des bonshommes allumettes. D'autres ont une forme plus humaine et ils sont munis de divers accessoires. Sur la page, des descriptions clignotent. Dans la tête d'Aubert, elles résonnent:

// Voici RObEc, notre robot d'école de base. Laissez-le faire vos devoirs!

L'image du robot-bonhomme allumettes s'anime. Il fouille dans un sac d'école identique à celui d'Aubert et il en tire un cahier d'exercices. Il remplit les pages à toute allure. Un de ses doigts lui sert de stylo.

Essai gratuit aujourd'hui! Satisfaction garantie! Appuyez ici: **X**.

Aubert hésite. D'un coup de doigt, il fait plutôt défiler les images suivantes. Il est impatient de découvrir les autres modèles:

RObAs: le robot d'école amélioré. Un as qui va en classe à votre place!

RObNet: l'automate nettoyeur. Il range votre chambre en un temps record. Nez aspirateur et autres accessoires en option.

ROBMiam : il fait les emplettes pour vous. Commandez-lui vos mets préférés !

ROBPop : le virtuose qui joue de la guitare électronique à trois mains. Choix musical illimité et amplificateur intégré.

ROBGO! : un champion aux jambes à réaction. Offert en plusieurs versions : course, soccer, basketball, hockey.

— Il y en a pour tous les goûts ! s'enthousiasme Aubert.

Au fur et à mesure que le garçon fait défiler les vignettes, l'aspect des robots se perfectionne. Le modèle RObOmec peut même enjôler les filles. Ce séducteur a un visage familier...

— Ah ! ah ! Il me ressemble ! s'exclame Aubert.

Des prix sont inscrits sous chaque robot :

Robot porteur : 3,95 zlitwoks.

Robots déodorants en solde : deux pour le prix d'un.

Offrez-vous un superbe RObIcycle pour seulement dix versements d'un zlitwok par jour.

— *Zlitwok* ? Qu'est-ce que c'est que ça ?

Le catalogue émet quelques cliquetis et il vibre un peu. La spirale ralentit. On dirait que le gadget a de la difficulté à traduire. Aubert retrouve alors un peu de lucidité.

— C'est sûrement une blague... C'est trop idiot.

De la cuisine, son père l'appelle :

— Aubert, va te laver les mains. Le souper est prêt.

— J'arrive ! crie Aubert.

« Zut, songe-t-il en regardant son sac d'école. J'ai même pas commencé mes devoirs. Dommage que tout ça soit une farce. »

L'image du catalogue est revenue à RO-bEc, le robot d'école. Le X clignote à l'endroit où il faut appuyer pour un essai gratuit. Alors juste pour rire, tout en étant sûr que ça ne donnera rien, Aubert pose le doigt sur le X.

Résultat ? RIEN.

Bien sûr, il s'y attendait.

« Peuh ! quel attrape-nigaud ! » se dit Aubert.

Il jette le catalogue bidon dans la corbeille et il rejoint ses parents.

Dans la cuisine, Norbert sort les plats du four. Audrey chantonne dans la salle à manger en plaçant les ustensiles sur la table. Soudain, elle s'exclame :

— Oh ! qu'est-ce que...

— Quoi ? Qu'est-ce qu'il y a ? s'inquiète Norbert.

— Euh... non, rien. J'ai cru voir une lueur par la fenêtre. C'est un rayon de soleil sur la boîte aux lettres, je suppose.

Aubert écarquille les yeux. Devrait-il révéler ce qu'il a trouvé dans la boîte aux lettres ? Mais ses parents ont déjà oublié l'incident. Ils servent le repas puis mangent avec appétit en jasant de tout et de rien. Aubert s'agite sur sa chaise, l'esprit en ébullition. Est-ce que par hasard cette lueur signalerait une livraison ?

— Qu'est-ce que tu as à te tortiller comme ça, Aubert ? s'impatiente son père. Tu n'as pas faim ?

— Euh… excusez-moi, j'ai envie, je dois aller aux toilettes…

Aubert fait semblant de se diriger vers la salle de bain, puis il fait un crochet vers le vestibule. Il a très hâte de vérifier la boîte aux lettres pour en avoir le cœur net !

La porte est entrouverte.

« Tiens, j'ai dû mal la fermer, tantôt. Mais… est-ce que j'ai aussi laissé le couvercle de la boîte aux lettres relevé ? »

Aubert s'approche, un peu inquiet de ce qu'il pourrait découvrir. Il jette un coup d'œil à l'intérieur de la boîte et…

Rien. Pas de nouvelle publicité, pas de nouveau catalogue mystérieux. Encore moins de robot. Aubert regarde partout : près de l'entrée, derrière les arbustes, dans la poubelle. Rien de spécial. Il aurait dû s'en douter.

— Qu'est-ce que tu fabriques, Aubert ? demande son père depuis la salle à manger. Viens terminer ton repas !

— J'arrive ! crie le garçon.

Il songe :

« Ouais, j'ai assez fait l'idiot comme ça… »

Aubert retourne finir son souper avec ses parents, sans oser leur raconter ces folies.

Il ne pense plus à tout ça quand il revient à sa chambre. Mais son cœur manque d'exploser de surprise.

Un robot allumettes est en train de faire ses devoirs à sa table de travail.

◆

Chapitre

2

LE ROBOT D'ÉCOLE

Aubert contemple le mince cylindre doté de membres en fil de fer qui s'active dans sa chambre. C'est bel et bien RObEc, le robot d'école illustré dans le catalogue!

Le robot écrit à deux mains dans un cahier d'exercices. Des tas de manuels scolaires sont ouverts à ses pieds. Son œil électronique monté sur une antenne virevolte d'un livre à l'autre. De temps en temps, il émet un léger bourdonnement : **Bst... Brt... Bvt...**

— Euh... salut, dit le garçon. Je suis Aubert. Es-tu arrivé par la boîte aux lettres ? Es-tu entré tout seul ?

RObEc ne répond pas. Il continue à travailler comme si de rien n'était. Ses pieds munis de petites ventouses tournent à toute vitesse les pages d'un manuel tandis que les deux mains écrivent en même temps avec des index-stylos. En un rien de temps, il effectue les exercices demandés dans toutes les matières. Les devoirs terminés s'empilent sur la table.

Aubert s'approche avec prudence. Le robot ne réagit pas du tout à sa présence. Aubert jette un coup d'œil sur ses cahiers.

— Tu as imité mon écriture ! Super !

Aubert lit quelques réponses :

Calcul: 180 - (9+27) = *144*

Géo: La capitale de la Nouvelle-Écosse est: *Halifax*.

Sciences: Le chameau est un *mammifère* à *deux* bosses.

Français: Accordez le participe passé: Les aliments que j'ai mangé*s*.

Règle: le participe passé *mangés* s'accorde avec le complément direct *aliments* placé avant.

Anglais: *My name is Aubert.*

Le garçon n'a pas le cœur de tout vérifier.

— Hum… à première vue, ça a l'air correct.

Aubert récupère le fabuleux catalogue dans la corbeille à papier. Il doit se rendre à l'évidence: ce n'est pas une blague. Mais il lui reste un point à clarifier. Le garçon saisit une feuille et il y inscrit quelque chose. Il la glisse au milieu du dernier cahier d'exercices. Quelques secondes plus tard, le robot d'école s'en empare.

Bttt! RObEc dépose le dernier cahier sur la table et il s'immobilise complètement. Il a fini tous les devoirs de la semaine! Le garçon examine la feuille, puis il éclate de rire. Le robot a même répondu à ça! Sur la feuille, Aubert avait écrit:

Ici, 1 zlitwok = ?

RObEc a écrit:

Ici, 1 zlitwok = ? = 750 millilitres de lait de vache 2%, ou 425 grammes de beurre d'arachide croquant, ou 1,5 kilo de sable fin.

Rien de compliqué à trouver. Les prix inscrits au catalogue paraissent bien raisonnables. Aubert a d'autres questions à poser au robot:

— D'où viens-tu? Qui t'a fabriqué?

Mais RObEc reste muet. Aubert hausse les épaules. D'où qu'il sorte, ce bidule va lui être très utile. C'est vraiment une chance incroyable! Le garçon sourit au robot.

— Grâce à toi, fini les devoirs ! Je vais avoir plus de temps pour m'amuser !

Oui, Aubert aura l'occasion d'explorer plus souvent *Le Monde des monstres*. Il se rendra peut-être enfin au sixième niveau, que son copain Jason a déjà atteint. Il pourra aussi consacrer plus de temps au basketball et améliorer ses tirs au panier. Ça va impressionner ses camarades à l'école.

Mais que diront Norbert et Audrey s'ils trouvent ce robot ? Accepteront-ils que leur fils le garde ? Aubert hésite. Il faudrait qu'il en parle à ses parents. En attendant, il pointe un doigt autoritaire vers son nouvel assistant :

— Bon, c'est terminé pour ce soir, robot. Maintenant, va te cacher dans le placard. C'est un ordre. Je suis ton maître !

RObEc ne bouge pas d'un fil.

— Peuh ! marmonne Aubert. Sauf pour les devoirs, ce n'est pas une lumière, ce tas de ferraille !

Le garçon empoigne le bonhomme allumettes. Heureusement, celui-ci est très léger et il est conçu pour se replier en un tour de main. Aubert arrive à le camoufler sous de vieux vêtements au fond de la garde-robe. Il dissimule le précieux catalogue au même endroit.

Puis Aubert s'installe devant son jeu vidéo favori. Enfin, il s'attaque au cinquième niveau du *Monde des monstres*.

Son père entrouvre la porte.

— Aubert, tu sais qu'il faut finir tes devoirs avant de jouer à l'ordi…

— Mais j'ai terminé, papa, regarde…

Le garçon désigne la pile de cahiers sur la table. Norbert, un peu sceptique, en feuillette quelques-uns. Finalement, il sourit.

— Eh bien... tu m'impressionnes ! Bravo, mon gars. Tu peux t'amuser, tu l'as bien mérité !

Aubert replonge avec délices dans son jeu. Bang ! Un monstre de moins. Évaporé, comme les devoirs. La vie est belle !

Chapitre

3

NOUVELLES COMMANDES

Le lendemain, en revenant de l'école, Aubert est furieux.

— Ça va, mon p'tit chou ? lui demande sa mère.

— Grmmglbr, grmm… grommelle Aubert. Excuse-moi, maman, j'ai beaucoup de devoirs aujourd'hui.

Aubert file aussitôt dans sa chambre.

Il sort RObEc du placard et il l'engueule.

— Imbécile! J'ai eu 110%!

Quand son enseignante, madame Toupin, a corrigé les devoirs, elle a été surprise de voir qu'Aubert avait tout bon. Ce n'est pas dans ses habitudes. Il avait même corrigé une petite erreur de madame Toupin. C'est pourquoi elle lui a donné la note de 110%, suivie de trois gros points d'interrogation rouges. Comme elle trouvait le zèle du garçon suspect, l'enseignante a posé un tas de questions à Aubert. Le pauvre s'est emmêlé dans des réponses confuses.

— J'ai l'impression que tu n'as pas fait tes devoirs toi-même. As-tu copié?

— Eh bien... euh... c'est que...

Aubert s'est tu, piteux. Il n'allait quand même pas lui parler du robot.

Zut ! madame Toupin lui a collé des devoirs supplémentaires.

Et maintenant, Aubert lance son sac d'école sous le nez du robot.

— Tiens, fais ces devoirs. C'est ta faute, après tout !

Mais RObEc demeure inerte.

— Bon, comment redémarre-t-on ce bête bidule ?

Aubert extirpe le catalogue de sa cachette. Il fait défiler avec impatience plusieurs menus avant de trouver enfin une explication :

`Cet échantillon gratuit ne peut être réactivé.`

— Eh bien, c'est court, cet essai gratuit ! rage le garçon.

Aubert doit se procurer un autre robot, car il ne viendra jamais à bout tout seul de ces devoirs supplémentaires !

En fouillant dans le catalogue, Aubert voit qu'un nouveau RObEc coûte deux *zlitwoks*, l'équivalent d'un litre et demi de lait. Par contre, le modèle amélioré RObAs, qui va lui-même à l'école, coûte quatre *zlitwoks*.

Il donne toutes les réponses ! Grâce à son module hypnotique intégré, votre enseignante ne se doutera de rien !

Hypnotiser madame Toupin ? Elle ne l'accusera plus de copier ! Trois litres de lait, ce n'est pas si cher, au fond. Mais où paye-t-on ?

Client Ob-R : Pour commander, appuyez sur OUI et insérez votre paiement.

Aubert, intrigué, appuie sur le OUI. Aussitôt, la lettre O s'élargit et un trou noir se forme à l'intérieur, tandis que le U et le I clignotent. Aubert écarquille les yeux. C'est là qu'il faut… insérer le paiement ? Il se précipite à la cuisine et il sort deux cartons de lait du réfrigérateur.

Dans la pièce voisine, sa mère dessine des mangas pour une maison d'édition. Audrey lève le nez de son travail en voyant passer son fils.

— Veux-tu une collation ? propose-t-elle. J'ai acheté tes biscuits préférés.

— Euh, non merci... Juste du lait.

— Ah ! bravo, mon coco ! C'est bon pour tes os, réplique Audrey, un peu étonnée. Tiens, ça me donne une idée : une héroïne qui devient hyper géniale et musclée quand elle boit du lait vert.

Sa mère se remet à dessiner. Heureusement, elle n'a pas remarqué que son fils regagnait sa chambre avec deux contenants de deux litres dans les mains.

Comment verser trois litres de lait dans le O du catalogue ? Le garçon fabrique un entonnoir improvisé avec une feuille de carton.

Il l'insère dans le O et il y appuie le bec du contenant de lait.

« C'est fou ! songe-t-il. Qu'est-ce qui va se passer ? »

Le lait coule dans le trou noir du O. Ça marche ! Aubert vide tout le lait du premier contenant, qui était déjà entamé. L'entonnoir de carton, déformé et détrempé, dégoutte sur la table de travail. Aubert le redresse tant bien que mal.

Le garçon ouvre le second contenant de lait et il continue à le verser dans le O. Comment savoir quand il aura atteint trois litres ? Il aurait dû apporter une tasse à mesurer ! Soudain, le O se referme, et le U et le I cessent de clignoter. Le reste du lait dégouline de l'entonnoir éventré et il se répand par terre.

Aubert est trop excité pour prêter attention au dégât. Est-ce que la livraison va être aussi rapide que celle d'hier ?

Le garçon sort par l'arrière de la maison pour éviter de passer devant l'atelier de sa mère. Il court vers la boîte aux lettres. Oui ! Le métal brille intensément pendant une fraction de seconde. Puis le couvercle se soulève lentement. Une mince main à trois ventouses s'agrippe au rebord. Elle est rattachée à un bras et à plusieurs sections métalliques qui se déplient avec rapidité. C'est le nouveau robot !

RObAs est assez similaire au modèle RObEc, sauf qu'il a une petite plaque ronde supplémentaire sur le ventre.

« Il ne me ressemble pas du tout, se dit Aubert. Ce n'est pas ça qui va tromper madame Toupin ! »

Soudain, la porte d'entrée s'ouvre. C'est sa mère !

— Tout va bien ? demande Audrey. J'ai cru voir un éclair. Oh ! qu'est-ce que...

Bzzzt ! La plaque sur le ventre de RObAs s'écarte, et une petite ampoule violette surgit. Elle émet une spirale lumineuse qui tournoie autour du robot pendant un instant.

— Tout va bien ? répète Audrey en fixant le robot avec un drôle d'air.

— Euh... je vais t'expliquer, répond le garçon.

Avec la même voix qu'Aubert, le robot poursuit :

— Je rentre terminer mes devoirs.

Audrey cligne des yeux, puis elle regarde son fils.

— Bon, dit-elle. Tu travailles fort, bravo !

Audrey retourne à son atelier, sans parler du robot, comme si tout était normal. Aubert n'en revient pas.

« Cette spirale, ça doit être le machin pour hypnotiser, pense-t-il. C'est fameux ! »

Dans la chambre d'Aubert, le nouveau robot s'attaque aussitôt aux devoirs. Ce modèle perfectionné travaille si vite que le garçon a peine à suivre ses gestes. En un temps record, tout est terminé.

RObAs pose la dernière feuille sur la pile en faisant un petit bzt ! Sa plaque ventrale s'entrouvre et il en suinte... une larme.

« Il est triste d'avoir fini ? » se demande Aubert.

La larme se détache du robot et elle rebondit à ses pieds. C'est une sorte de glu verdâtre et caoutchouteuse qui sent le concombre.

— Que penses-tu de ce personnage, mon cachou ?

Aubert sursaute. Sa mère vient d'entrer dans sa chambre à l'improviste. Elle tient un dessin à la main. Heureusement, RObAs émet une onde hypnotique. **Bzzzt !**

— C'est mon nouveau vilain Mégasplash, explique Audrey en montrant une esquisse.

— Euh... très beau. Je veux dire joliment laid... Euh, il est parfait, bafouille Aubert.

Audrey sourit. Elle regarde la pile de devoirs et elle complimente son fils :

— Tu as bien travaillé. Je suis fière de toi !

— Hum… merci, murmure le garçon mal à l'aise.

Soudain, sa mère renifle en direction du robot, sans pourtant paraître le voir.

— C'est bizarre, ça sent le concombre !

Puis elle fronce les sourcils en remarquant la flaque de lait sur le tapis et le linge sale qui traîne un peu partout.

— Dis donc, un bon ménage ne ferait pas de tort ici ! Allez, ne rouspète pas, mon pichou. Tu as le temps de ranger ta chambre, puisque tu as déjà fini tes devoirs !

Dès que sa mère quitte la pièce, Aubert consulte de nouveau le catalogue. Il va commander un robot ménager avec tous les accessoires. Et le payer en sable, c'est plus simple.

Aubert sort de la maison. Dans son ancien carré de sable envahi par les mauvaises herbes, il remplit un seau.

Tout se passe rondement. Il revient verser le sable dans le O clignotant (mais il en échappe autant par terre). Puis il va attendre la livraison à la boîte aux lettres. Un éclair et... voilà RObNet! C'est un drôle de zigoto, avec son nez aspirateur, sa main plumeau, son doigt à jet savonneux et ses orteils à brosses. Aubert a demandé un module hypnotiseur pour celui-ci aussi, en option, moyennant un peu plus de sable. C'est indispensable, à cause des visites-surprises des parents dans sa chambre.

Le robot ménager est très efficace. En un rien de temps, il plie le linge, il ramasse tout ce qui traîne, il nettoie le tapis, il aspire la poussière et il époussette les meubles. Brt !

Quand il a fini le ménage, RObNet émet deux larmes de concombre. Mais il les recueille aussitôt, de même que la larme laissée par

RObAs, et il jette le tout à la poubelle. Puis le robot ménager range RObAs dans un coin et il s'installe à côté, immobile. Pas besoin de les cacher dans le placard, ceux-là : ils émettront un flash hypnotique si quelqu'un entre.

Aubert a questionné les nouveaux robots sur leur origine. Aucun n'a pu lui fournir d'explication. Leur programme semble limité à des fonctions bien précises. Tant pis ! C'est le résultat qui compte. Le garçon regarde avec satisfaction sa chambre propre comme un sou neuf et la pile de devoirs supplémentaires terminés. C'est extraordinaire ! Il a le reste de la soirée pour s'entraîner au basketball et progresser dans son jeu vidéo. Demain, RObAs l'accompagnera à l'école, et il sera incollable si madame Toupin lui pose des questions.

Aubert a le sourire fendu jusqu'aux oreilles.

« Oui, vraiment, songe-t-il, la vie est belle ! »

Le garçon ne se doute pas que, le lendemain, il rentrera encore furieux de l'école...

Chapitre 4

UN GÉNIE QUI SENT LE CONCOMBRE

Le matin, au moment de partir pour l'école, RObAs ne démarre pas. Aubert consulte en catastrophe la section *Foire aux questions* du catalogue.

— Bon, il faut le recharger toutes les heures ! Je ne savais pas ça !

En faisant glisser la plaque ronde sur le ventre du robot, il découvre un orifice où on doit insérer le «carburant».

Aubert se dépêche d'aller chercher du sable dans la cour. Grâce à cette nouvelle ration, il réactive le robot. Puis il bourre son sac d'école de sable. Il apporte aussi le reste du lait et un pot de beurre d'arachide, au cas où. Le garçon est chargé comme un déménageur!

— Suis-moi, ordonne-t-il à RObAs.

En sortant dans la rue, Aubert est un peu inquiet. Les gens vont-ils remarquer le robot? Le module hypnotique est-il vraiment efficace?

À intervalles réguliers, RObAs émet un **bzzzt!** accompagné d'une spirale lumineuse. Personne ne passe de commentaires. Tout le monde fait comme si de rien n'était.

«C'est magique, ce truc!» s'émerveille Aubert.

Il se rembrunit en entendant la cloche de l'école sonner au loin.

— Vite, on va être en retard!

Le garçon se met à courir. Mais ce robot intello sait seulement marcher! Aubert doit porter RObAs pour aller plus vite. Essoufflé et courbé sous son fardeau, il attire les moqueries sur le chemin de l'école.

Finalement, Aubert arrive en classe après tout le monde. Madame Toupin n'apprécie pas les retardataires:

— Demain, tu me remettras une rédaction de deux pages sur la ponctualité. Et maintenant, voyons voir ces devoirs...

Là, enfin, RObAs est un as. Madame Toupin interroge Aubert devant toute la classe. **Bzzzt!** Flash! Le robot, assis sur les genoux d'Aubert, parle à sa place avec la même voix. RObAs a réponse à tout. Madame Toupin secoue la tête et elle cligne des yeux plusieurs fois. Elle est éblouie par les excellentes réponses… et par les flashs, sans le réaliser.

— Ma foi, jamais je n'aurais cru… Félicitations, Aubert ! Tu t'es beaucoup amélioré ! C'est très impressionnant ! Tu mérites l'étoile de la semaine pour les devoirs.

L'enseignante se tourne vers les autres élèves :

— Vous devriez prendre votre camarade en exemple… sauf pour la ponctualité, bien sûr ! Vous voyez à quoi on peut arriver, avec du travail ! Maintenant, sortez vos manuels de calcul, nous allons faire des exercices.

Bzt ! Le robot d'école verse une larme au concombre.

Bz… B… t… RObAs ne parvient plus à feuilleter le livre. Ah non ! il faut déjà le recharger ! Vite avant que l'effet hypnotique se dissipe. Aubert lève la main.

— Madame, est-ce que je peux aller aux toilettes ?

D'un signe de tête impatient, madame Toupin accepte. Elle fronce le nez : une curieuse odeur de concombre flotte dans l'air.

Aubert se précipite hors de la classe, comme s'il avait une envie pressante. Le robot juché sur son dos s'éteint juste comme le garçon referme la porte. Plus d'onde hypnotique! Par chance, le couloir est désert. Aubert récupère en vitesse les provisions qu'il a cachées dans son casier. Il file vers les toilettes pour transvider le carburant.

Plus tard, à la récréation, Aubert n'est pas au bout de ses peines. D'abord, son chandail est taché de lait, de sable et de beurre d'arachide. Et puis les compliments de madame Toupin ont fait des jaloux.

— Prenez votre camarade en exemple, rigole Garneau, le bouffon de la classe.

Pour faire le comique, Garneau se promène le dos courbé, l'air essoufflé, et il se tient le bas du ventre en gémissant:

— J'suis tout crotté, j'ai envie de pipi et je pue le concombre!

Mariette, la première de classe, passe devant Aubert en reniflant avec dédain. Elle visait l'étoile de la semaine! La fillette se dirige vers Alexis, le capitaine de l'équipe de basketball. Il a toujours une cour d'admiratrices autour de lui.

Jason, un ami d'Aubert, essaie de lui changer les idées.

— As-tu trouvé le souterrain, au cinquième niveau du *Monde des monstres*?

— Un souterrain? Non, je suis coincé dans le donjon depuis deux jours.

— Il y a un raccourci sous la salle des tortures, explique Jason. Ça mène au sixième monde!

Alexis les interrompt:

— Allez, les gars, on s'entraîne!

Demain, Aubert et ses camarades affronteront l'équipe de basketball de l'école voisine. Alexis s'élance en souplesse et, avec une maîtrise parfaite, il envoie le ballon directement dans le panier. Les filles applaudissent.

Aubert est déconcentré par tout ce qui arrive. Quand il lance à son tour le ballon, celui-ci roule sur le rebord du panier… et tombe à l'extérieur.

— Joli coup ! se moque Garneau.

Aujourd'hui encore, Aubert revient à la maison de mauvaise humeur. RObAs est de nouveau presque à sec et il traîne loin derrière.

Norbert est en train de clouer des planches sur le carré de sable. Quand il aperçoit son fils, il explique :

— C'est bizarre, il y avait un gros trou. Peut-être une marmotte ?

Audrey appelle son garçon par la fenêtre ouverte :

— Coucou, mon coco ! Pourrais-tu aller au dépanneur, s'il te plaît ? C'est curieux, il ne reste déjà plus de lait.

Aubert soupire.

« Peuh ! ce n'est pas vraiment la belle vie ! »

En soirée, dans sa chambre, le garçon feuillette le catalogue avec détermination. Demain, ça ne se passera pas comme ça ! Il va se préparer à toutes les éventualités. Il se promet d'en mettre plein la vue à ses camarades !

Aubert sourit. Oui, demain, tout va bien aller. Enfin, ce sera une journée idéale !

Chapitre 5

UNE RIBAMBELLE DE ROBOTS

Le matin suivant, Aubert arrive à l'école accompagné de toute une troupe de robots. Lui-même est juché sur les robustes épaules de RObFort, un robot porteur qui tient aussi son lourd sac d'école plein de sable.

« Pourquoi me fatiguer quand un robot peut marcher ou forcer à ma place ? » s'est dit le garçon.

RObÀroues, une sorte de planche à roulettes autonome, les suit. Il transporte RObBollé, un nouveau robot d'école génial, mais lambin. Il remplace RObAs, qui n'était pas conçu pour composer des textes sur la ponctualité à moins de lui installer une puce de mise à niveau. Ça revenait moins cher d'acheter un modèle surdoué.

En classe, RObBollé remet une rédaction de vingt pages sans aucune faute. L'enseignante examine le texte d'un air soupçonneux.

— Hum… et pourrais-tu résumer cette composition en tes propres mots devant tes camarades ?

Un exposé oral ? **Bft !** C'est un jeu d'enfant pour RObBollé :

— Mes chers amis, la ponctualité est un sujet passionnant. Saviez-vous que...

Le robot se lance dans un long discours qui endort la moitié des élèves. Au moins, madame Toupin est satisfaite. Pendant ce temps, le robot désodorisant RObSnif asperge la classe avec des jets parfumés pour camoufler les odeurs de concombre. **Bst !** Un robot ravitailleur, RObMiam, s'occupe d'alimenter ses camarades en sable. **Blt !**

Aubert sourit. Il a tout prévu. Et le meilleur est encore à venir.

En après-midi, RObMiam va chercher des provisions supplémentaires à l'extérieur. Il ravitaille trois autres robots avant la sortie des classes : RObGO!, RObVid et RObOmec.

RObVid est un expert en jeux vidéo. Hier soir, il n'a mis qu'une demi-heure à finir *Le Monde des monstres*. Dans la cour d'école, il explique en détail à Jason toutes les astuces cachées pour se rendre au dixième niveau du jeu.

RObOmec ressemble à Aubert, en plus beau, en plus grand, en plus musclé. Il cueille un bouquet de pissenlits et il l'offre à Mariette. Bvt !

— Voici des fleurs comme des soleils pour une fille radieuse qui ensoleille la cour d'école par sa beauté.

Mariette rougit malgré elle sous les compliments de ce beau parleur.

RObGO!, un robot-athlète, remplace Aubert lors du fameux match de basketball contre l'école voisine. Aubert s'assoit avec les autres robots dans la dernière rangée des gradins, à l'écart de ses camarades. La partie est excitante. Aubert pousse des cris de joie :

— Bravo, RObGO! ! Euh... bravo, Aubert !

Enfin ! Tout va bien aujourd'hui.

Des larmes caoutchoutées rebondissent un peu partout. Malgré les efforts incessants du robot désodorisant, une légère odeur de concombre flotte dans l'air.

L'équipe d'Aubert écrase les adversaires 108 à 3. RObGO! a réussi 107 paniers, et le capitaine Alexis a compté l'autre point. Dès la fin de la partie, Aubert rejoint ses coéquipiers sur le terrain de basket. Alexis est en train de discuter avec l'arbitre et le capitaine de l'autre équipe.

— Belle partie, hein, Alexis ? dit Aubert.

Le capitaine lui lance un regard noir.

— On a perdu ! C'est 3 à 1 pour eux.

— Hein ? Mais non ! Je n'ai pas arrêté de marquer !

— Tes points sont annulés, intervient l'arbitre. L'autre équipe a déposé une protestation officielle. Tu ne joues pas dans la bonne ligue, tu es trop fort pour ce niveau. Seul le point de votre capitaine est valide.

Alexis ajoute :

— Tu m'as chipé le ballon trois ou quatre fois quand j'allais le lancer !

— À moi aussi ! se plaint Garneau. On aurait pu gagner !

— Tu n'as pas l'esprit d'équipe ! conclut Alexis.

Aubert s'éloigne sous les huées de ses coéquipiers. Zut ! RObGO! en a trop fait. RObVid et RObOmec ont dû mieux se débrouiller.

Le garçon rejoint son ami Jason.

— Alors qu'est-ce que tu en dis ? Je suis vraiment fier d'avoir trouvé tous les secrets du *Monde des monstres*. Es-tu content que je t'aie expliqué chaque truc ?

Jason l'accueille avec un air glacial.

— J'aurais préféré les découvrir par moi-même. Et qu'est-ce qui t'a pris, avec Mariette ? Ça ne se fait pas...

— Mariette ? Qu'est-ce que...

Justement, la fillette se dirige vers eux à grands pas, suivie de madame Toupin.

Mariette donne une gifle retentissante à Aubert ! Il en tombe sur le derrière, abasourdi.

Madame Toupin se penche vers le garçon, non pour l'aider à se relever, mais pour le sermonner. Elle agite son doigt boudiné devant le nez d'Aubert.

— Jeune garnement, c'est inadmissible d'essayer d'embrasser une fille de force !

— Heureusement que Jason est intervenu, souligne Mariette.

La fillette sourit à Jason, et les deux repartent ensemble en se tenant par la main.

Madame Toupin ajoute :

— Je vais appeler tes parents, petit galopin !

Aubert rentre chez lui, penaud, avec sa ribambelle de robots. Quelle journée ! Après un début prometteur, tout est encore allé de travers.

Mais le pauvre garçon n'est pas au bout de ses peines...

Chapitre 6

L'INSFACTEUR

Devant la maison familiale, les parents d'Aubert et des voisins discutent avec animation. Le patio de monsieur Dupont est tout démantelé. La piscine hors terre de madame Lagacé aussi. Quelqu'un est venu enlever le sable en dessous! À proximité, on a trouvé des crottes caoutchouteuses qui sentent le concombre. Ça ne peut tout de même pas être l'œuvre d'une marmotte!

Des autos de police, gyrophares allumés, sont garées devant le dépanneur du coin. Il y a eu un vol! Tous les contenants de lait ont été volés, ainsi que ceux de beurre d'arachide. C'est invraisemblable: les voleurs n'ont touché à rien d'autre. Le tiroir-caisse est intact.

— Je n'ai rien vu, se lamente le propriétaire du commerce. C'est incompréhensible!

Seul indice: il y a de curieuses boulettes dans le réfrigérateur et sur les étagères. Elles sentent le concombre...

Heureusement, les adultes sont trop occupés à commenter ces événements bizarres pour prêter attention à Aubert. Il se faufile chez lui en vitesse. Une fois à l'intérieur, il débranche le téléphone. Ainsi, madame Toupin ne pourra pas appeler ses parents. Il espère que son enseignante ignore leur numéro de cellulaire.

Le garçon va s'enfermer dans sa chambre. C'est très encombré, avec tous ces robots. RObMiam gave ses confrères en laissant des déchets un peu partout. RObNet n'en finit plus de faire le ménage. Quel fatras!

Aubert est de très mauvaise humeur. Ces robots idiots ne lui causent que des ennuis! Y a-t-il moyen de se plaindre à quelqu'un? Il « feuillette » avec impatience le catalogue électronique.

— Ah! là!

`Service à la clientèle: appuyez ICI.`

Aubert appuie avec force sur le bouton virtuel. Que va-t-il arriver? Est-ce qu'il peut retourner les robots inutiles? Les mystérieux fabricants des robots ont-ils prévu quelque chose pour dédommager les clients insatisfaits?

«Je vais peut-être recevoir une prime, un cadeau ? » s'imagine-t-il.

Cette éventualité le réconforte. Qui sait ? En guise de compensation, il pourrait même obtenir un super-robot plus compétent que cette bande d'incapables ! Enthousiasmé par cette idée, le garçon se précipite à la boîte aux lettres.

Oups ! il y a beaucoup de monde dehors. Monsieur Dupont et madame Lagacé sont encore là à se lamenter pour un peu de sable disparu. Mais ce qui fait craindre le pire à Aubert, c'est l'auto de madame Toupin garée devant la maison. Zut ! l'enseignante s'est déplacée en personne. Elle est déjà en train de discuter avec Norbert et Audrey. Quand madame Toupin aperçoit son élève sur le pas de la porte, elle tend un doigt accusateur vers lui.

À ce moment, un policier surgit dans la rue,

suivi du propriétaire du dépanneur. L'agent tient en laisse un grand chien.

— Sens la piste, Flic ! Par là ? Bon chien !

Flic renifle le trottoir. Il se dirige vers la maison d'Aubert. Le policier explique :

— Le chien suit des odeurs de lait et de concombre. Le voleur du dépanneur est passé par ici.

— Oh non ! gémit Aubert. Tout va mal !

Pour comble de malheur, la boîte aux lettres commence à luire. L'éclat s'intensifie rapidement. Ce mystérieux phénomène déclenche tout un tohu-bohu.

— Qu'est-ce qui arrive ? s'exclame Norbert.

— Éloignez-vous, c'est peut-être une bombe, ordonne le policier.

— Aubert, attention ! hurle Audrey.

— Dieu du ciel, protégez-nous ! sanglote madame Toupin.

— Au secours! Non! Aaah! crient respectivement monsieur Dupont, madame Lagacé et le propriétaire du dépanneur.

Flic pousse un jappement aigu.

Un éclair aveuglant jaillit de la boîte aux lettres. Puis le couvercle s'ouvre. Une pince en sort, suivie d'une patte métallique, et encore de plusieurs autres pinces et pattes. Enfin, une sphère argentée émerge avec quelques difficultés de la boîte.

Ça cliquette, et ça clignote, et ça chuinte, et ça sifflote. Une espèce de gros crabe métallique hérissé d'antennes frémissantes apparaît. Les antennes se tournent toutes vers Aubert.

Audrey et Norbert se précipitent vers leur fils.

Les voisins, le propriétaire du dépanneur et l'institutrice poussent des cris.

Le chien gronde et aboie très fort.

Le policier pointe son revolver vers le crabe.

— Au nom de la loi...

BchhhhhhhhhhhhhCHT ! Le robot-crabe émet une gigantesque onde hypnotique. Autour de lui, tout le monde se fige. Seul le chien Flic continue de japper.

Puis les gens secouent la tête, l'air un peu étourdi. Les parents saluent les voisins et l'enseignante. Tout le monde rentre tranquillement chez soi. Le policier range son arme et retourne au dépanneur avec le commerçant.

L'agent doit tirer sur la laisse de Flic pour forcer le chien à le suivre.

À son grand désarroi, Aubert est incapable de bouger. Les cliquetis, les chuintements et les sifflotements de cet affreux robot résonnent dans sa tête en formant des mots. Une sorte de traduction télépathique, comme celle du catalogue. La voix est désagréable, sèche, métallique.

// Alors, mon gaillard, cliquette la machine, c'est vous qui avez porté plainte?

— Oui, c'est moi, Aubert. Qui êtes-vous? Laissez-moi bouger!

// Je suis l'insfacteur du secteur.

— Hein? L'ins... quoi?

// Insfacteur! L'inspecteur des facteurs. On vous a retrouvé grâce à votre plainte. Vous n'êtes pas le bon client Ob-R. Il y a eu une erreur de livraison.

— Une erreur ? Oui, c'est ce que je pensais. Pas fameux, votre système. Comme vos robots. D'où venez-vous ? D'un autre monde ? Du futur ?

Sans répondre à cette question, le robot-crabe saisit Aubert à l'aide d'une de ses pinces. Il secoue le garçon et il agite ses antennes sous son nez.

// Vous avouez, brigand ! C'est illégal d'utiliser du matériel qui ne vous est pas destiné. Je dois récupérer les colis égarés.

— Non ! Vous vous trompez, je...

L'insfacteur lâche Aubert, puis il rentre dans la maison. Le garçon crie à tue-tête :

— Au secours, papa, maman !

Ses parents ne l'entendent pas. Aubert fait des efforts désespérés pour bouger. Il voudrait filer à toutes jambes, mais il reste paralysé devant la boîte aux lettres.

Dans la chambre d'Aubert, l'insfacteur replie minutieusement deux robots d'école, un robot nettoyeur, un robot approvisionneur, deux robots porteurs (dont un à roulettes), un robot désodorisant, un robot-athlète, un robot expert en jeux vidéo et un robot séducteur. L'insfacteur fait plusieurs allers-retours entre la chambre et l'entrée pour rapporter la marchandise, sans oublier le fameux catalogue expédié par erreur.

Les parents d'Aubert restent tout à fait indifférents au va-et-vient du robot. Ils bavardent dans la cuisine, comme si de rien n'était.

L'insfacteur insère les robots les uns après les autres dans la boîte aux lettres. Chaque fois, le contenant émet un flash lumineux. Le crabe métallique sue abondamment. Des gouttes à l'arôme de concombre se forment aux aisselles de ses nombreuses pattes et elles s'accumulent sous la boîte aux lettres.

Enfin, il a terminé. Le robot-crabe tourne ses antennes vers Aubert. Le garçon l'apostrophe :

— Bon, c'est fini, oui ? Libérez-moi, maintenant !

// Une dernière formalité, mon gaillard ! Vous avez commis une infraction. Vous devez payer l'amende.

— Ce n'est pas juste ! Ce n'est pas ma faute, je...

// Cinq cents *zloutbaks*. Payables immédiatement.

— Des *zloutbaks* ? C'est quoi ? Euh... en équivalent ici ? Voulez-vous de la terre ? Du miel ? Prenez tout ce que vous désirez !

// Pas de substitut pour les fraudeurs. Puisque vous refusez de payer, vous irez en prison. Suivez-moi !

— Quoi ? Pas question, vous n’avez pas le droit de…

Sourd aux protestations du garçon, l’insfacteur empoigne Aubert et il le soulève sans ménagement.

— Eh ! stop ! Lâche-moi, sale robot !

Avec ses pinces libres, l’insfacteur s’agrippe à la boîte aux lettres. Il se tortille pour y entrer, en tenant toujours Aubert. Le contenant métallique commence à luire et Aubert sent des fourmillements dans tout son corps. Il s'enfonce à l'intérieur de la boîte, vers un tunnel scintillant qui va en s'élargissant.

Les cris de colère du garçon résonnent, de plus en plus lointains:

— Tu vas le regretter, foutu crabe! Je me plaindrai à tes patrons! Je veux un avocat! Je...

FLASH!

Un immense éclair jaillit de la boîte aux lettres, un halo lumineux englobe la maison, des étincelles courent le long des fils électriques, des tuyaux et des gouttières.

La boîte aux lettres se désintègre.

Puis tout redevient calme.

Audrey met la table dans la salle à manger, tandis que Norbert achève de préparer le souper. Les lumières vacillent et l'affichage des appareils électroniques clignote. Mais cela ne dure qu'une fraction de seconde.

— Tiens, l'électricité a failli manquer, constate Norbert.

— Il y a une drôle d'odeur du côté de l'entrée, remarque Audrey.

Elle ouvre la porte et elle aperçoit des gouttelettes caoutchouteuses éparpillées sur le palier. Ça sent le concombre. De plus, il manque quelque chose. Audrey s'écrie :

— La boîte aux lettres a disparu !

Norbert accourt de la cuisine :

— Ça alors ! Quelqu'un l'a volée ?

Le couple discute de cet étrange vol pendant un bon moment. Il se produit des choses curieuses dans le quartier. Comme le sable disparu chez les voisins, ou le lait et le beurre d'arachide dérobés au dépanneur. Est-ce que des délinquants s'amusent à faire des mauvais coups ?

Il est temps de passer à table. Au bas de l'escalier, Audrey crie :

— Viens manger, mon bichou! Le souper est prêt!

Pas de réponse.

Norbert intervient:

— Ta mère t'a appelé, Aubert. Arrête de faire la sourde oreille!

Aucune réponse.

Norbert lève les yeux au ciel.

— Ne m'oblige pas à aller te chercher, Aubert!

Toujours pas de réponse.

Norbert soupire. Au moment où il s'apprête à monter l'escalier, une voix provient de la chambre:

— Oui, maman, papa. J'arrive!

RÉDACTION

Bonjour. Je suis RObEc. Les gens, ici, m'appellent Aubert. Je ne veux pas les décevoir. Surtout les gentils parents.

Bzt !

L'enseignante demande aux élèves de rédiger des textes. D'habitude, les robots d'école modèles de base ne font pas ça. Alors je m'exerce à écrire.

Brt !

J'étais dans le placard quand l'insfacteur est venu chercher les robots. Il ne m'a pas vu. Ou bien il m'a laissé là parce que je suis juste un échantillon gratuit.

Bvt !

Je sais ce qui est arrivé parce que j'ai capté tous les messages des robots. Le dernier éclair a causé un court-circuit et une bulle hypnotique permanente. Ça m'a réactivé, et tout le monde me prend pour Aubert. Sauf un être nommé Flic qui m'a reniflé l'autre jour. Mais les humains ne le comprennent pas.

Blt !

Des gens très énervés du ministère de l'Environnement ont inspecté le quartier et ils ont ramassé toutes les crottes de robot. Personne ne sait d'où elles viennent.

Bst !

Papa Norbert et maman Audrey ont installé une nouvelle boîte aux lettres. J'ai capté un message de l'insfacteur au diROcteur du secteur. C'est son rapport sur le problème Ob-R.

Bft !

Le garçon humain a été enfermé dans *Le Monde des monstres*. Mon camarade RObVid a créé un dernier niveau expert. Jason a ri quand il a découvert le troll du château. Il dit qu'il me ressemble. Jason doit libérer le troll Aubert pour finir le jeu. Ensuite, le petit humain reviendra chez lui.

Bjt !

En attendant, je remplace Aubert. J'ai des tas de choses à apprendre qui ne sont pas dans mon programme de robot d'école.

Bwt !

Madame Toupin dit que je suis devenu bien sage. Elle dit que je fais de beaux efforts. Je vais faire une rédaction sur mes nouvelles activités.

Bkt !

Les jeux vidéo sont faciles. Lancer un gros ballon dans le petit panier, c'est difficile. L'autre jour, Mariette a voulu m'embrasser.

Bcht !

Je ne savais pas trop quoi faire avec Mariette. Peut-être que je devrais m'exercer à ça aussi. J'espère qu'Aubert ne reviendra pas trop vite.

Bttt !

FIN

Le premier livre AU GRAND GALOP

☑ **Le catalogue de robots** de Jean-Pierre Guillet et Jessica Lindsay

Les livres AU GALOP

- ☐ **À la recherche du tikami** de Marie-Hélène Jarry et Leanne Franson
- ☐ **Au voleur !** de Nadine Poirier et Leanne Franson
- ☐ **Comment faire disparaître sa voisine** d'Émilie Rivard et Pascal Girard
- ☐ **Cordélia et la montagne mystérieuse** de Julie Pellerin et Céline Malépart
- ☐ **De la magie pour grand-maman** de Nathalie Loignon et Marion Arbona
- ☐ **La petite princesse chauve** d'Alain M. Bergeron et Mika
- ☐ **La princesse Pop Corn** de Katia Canciani et Benoît Laverdière
- ☐ **Le nouvel habit de monsieur Noël** de Christiane Duchesne et Céline Malépart
- ☐ **Le père Noël ne répond plus** de Rémy Simard
- ☐ **Le secret de mamie** d'Émilie Rivard et Pascal Girard
- ☐ **Les sœurs Latulipe** de Caroline Merola
- ☐ **L'île du dieu Canard** de Johanne Gagné et Caroline Merc
- ☐ **Lili Pucette aux Jeux des chiens**
- ☐ **Lili Pucette contre les 400 lapins**
- ☐ **Lili Pucette et Jake le Boa**
- ☐ **Lili Pucette fait la révolution** d'Alain Ulysse Tremblay et Rémy Sin
- ☐ **Ma grande sœur est une peste** de Nathalie Ferraris et Benoît Laver
- ☐ **Mathias et la cloche magique** d'Émilie Rivard et Caroline Merola
- ☐ **Mauvais caractère** de Nadine Poirier et Jacques Goldst
- ☐ **Prisonniers des glaces** de Paule Brière et Caroline Merola
- ☐ **Thomas Leduc a disparu !** d'Alain M. Bergeron et Paul Roux
- ☐ **Ti-Pouce et Gros-Louis** de Michel Lavigne
- ☐ **Un cadeau ensorcelé** de Caroline Merola
- ☐ **Un sorcier chez les sorcières** d'Andrée-Anne Gratton et Gérard Frischeteau
- ☐ **VIC @ VOTRE SECOURS Le chien rouge** de Sylvie Bilodeau et Sampar

Lesquels as-tu lus ? ☑